EXPÉDITION JUNIOR
en Plongée

Texte de A. Jensen et S. Bolt
Illustrations de P. Johnson
Adaptation de Françoise Rose

Sommaire

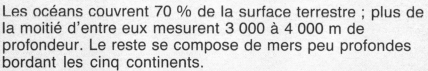

SOUS LES OCÉANS

Les océans couvrent 70 % de la surface terrestre ; plus de la moitié d'entre eux mesurent 3 000 à 4 000 m de profondeur. Le reste se compose de mers peu profondes bordant les cinq continents.
La plongée sous-marine est le meilleur moyen d'étudier cette vaste étendue, encore inexplorée dans sa plus grande partie. Elle abrite une faune d'une fabuleuse richesse.

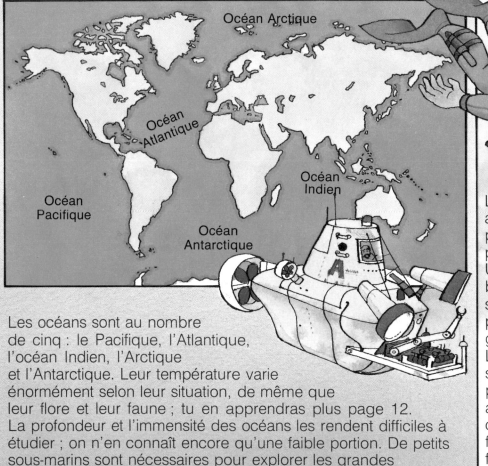

Océan Arctique

Océan Atlantique

Océan Indien

Océan Pacifique

Océan Antarctique

Les océans sont au nombre de cinq : le Pacifique, l'Atlantique, l'océan Indien, l'Arctique et l'Antarctique. Leur température varie énormément selon leur situation, de même que leur flore et leur faune ; tu en apprendras plus page 12. La profondeur et l'immensité des océans les rendent difficiles à étudier ; on n'en connaît encore qu'une faible portion. De petits sous-marins sont nécessaires pour explorer les grandes profondeurs (voir page 8).

L'invention du scaphandre autonome, vers 1940, a permis l'exploration des mer peu profondes.
Un scaphandre est une bouteille d'air comprimé fixé sur le dos du plongeur (voir page 6), lui assurant une grande liberté de mouveme
Les mers peu profondes sor souvent les plus intéressante par la diversité de la vie animale et végétale — récifs coralliens des mers chaudes forêts d'algues des mers froides. Découvres-en plus à la page 12.

XPLORER LA MER

n organise des expéditions ous-marines partout dans monde. Dans quel but ?

Certaines expéditions se spécialisent dans la recherche des épaves et des cités englouties. C'est ce qu'on appelle l'archéologie sous-marine. Elle nous permet d'apprendre beaucoup de choses sur le passé : en étudiant le contenu d'une épave, on peut imaginer la vie des marins à son bord.
Tu veux en savoir plus ? Reporte-toi à la page 22.

Les spécialistes de photos sous-marines cherchent à ramener des clichés spectaculaires ou insolites. Les biologistes et les archéologues prennent également des photos qui leur serviront dans leurs recherches.

Les biologistes plongent pour étudier a faune et la flore marines dans leur environnement naturel. Ils sauront ainsi comment les préserver, pour le bien de l'humanité. Tu trouveras d'autres informations page 10.

Avant de plonger, il faut s'entraîner sérieusement, et apprendre à se servir du matériel ; il faut également connaître les règles de sécurité et celles du sauvetage.

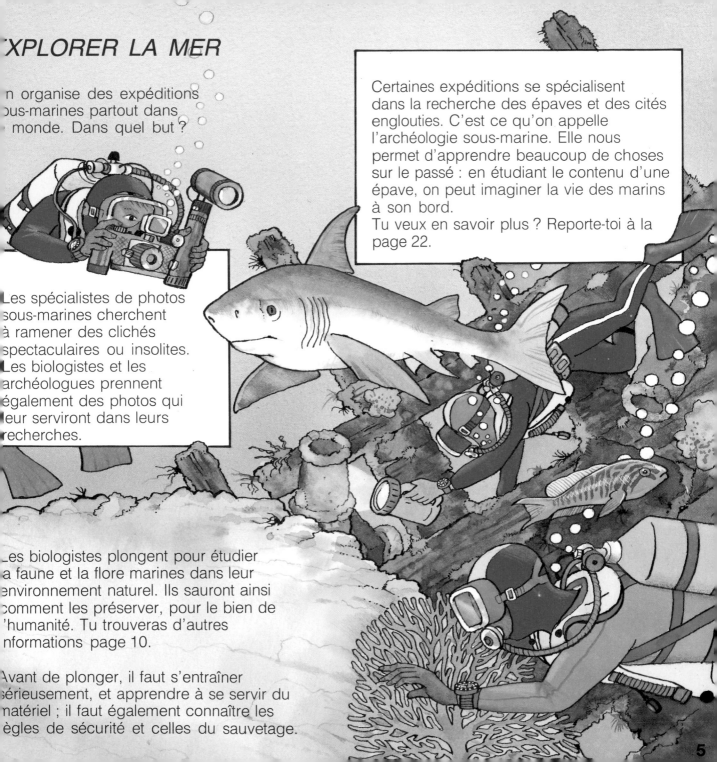

TON ÉQUIPEMENT

Les expéditions de plongée sous-marine doivent être préparées très soigneusement à l'avance et l'équipement doit être vérifié minutieusement avant de s'en servir, pour être sûr que tout fonctionne bien. Voici les quelques éléments indispensables : ta sécurité en dépend.

La combinaison de plongée te protègera du froid, des rochers pointus et des animaux venimeux.
Pour plonger en eau froide, mets une combinaison étanche.
Dans une mer tropicale, tu porteras une combinaison «semi-étanche» : elle laisse pénétrer une petite quantité d'eau que ton corps réchauffera.

Autour de ta taille, tu attacheras une ceinture lestée de plomb, qui t'aidera à descendre. Les palmes te serviront à nager plus vigoureusement.

Quand tu plonges, l'eau exerce une pression sur ton corps qui augmente avec la profondeur. Pour que tes poumons puisser se dilater normalement, l'air qu tu respires doit être à la même pression que l'eau : les molécules d'air de ton réservoi sont comprimées de façon à exercer une forte pression vers l'extérieur.
C'est le «détendeur» fixé à la bouteille qui te donne de l'air à la pression exacte.
L'air se compose de gaz : l'oxygène et l'azote. Quand tu respires, ces gaz se dissolvent dans ton sang.

Le masque te permettra de voir nettement sous l'eau. Rappelle-toi qu'il grossit chaque objet : plantes et animaux te paraîtront plus gros qu'ils ne le sont !

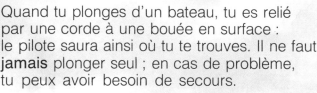

Quand tu plonges d'un bateau, tu es relié par une corde à une bouée en surface : le pilote saura ainsi où tu te trouves. Il ne faut **jamais** plonger seul ; en cas de problème, tu peux avoir besoin de secours.

LES ACCESSOIRES

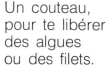

Un couteau, pour te libérer des algues ou des filets.

Un tuba, pour respirer en surface.

Une torche étanche pour les eaux troubles.

plongée, la pression de
u dissout l'azote en quantité
érieure à la normale ; plus
escends, plus tu absorbes
zote. Si tu remontes trop
dement, l'azote formera des
es dans ton sang : c'est ce
on appelle le «mal des
sons».

r éviter cet accident, tu dois
sulter des «tables de
ngée», afin de calculer la
ondeur et la durée de ta
ngée. Tu porteras une
tre de plongée pour
nométrer la durée, et un
deur pour mesurer la
ondeur.

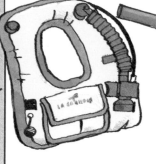

Un gilet gonflable, pour flotter en surface et remonter en cas d'urgence.

Un sondeur, pour savoir à quelle profondeur tu te trouves.

Un appareil photo étanche muni d'un flash.

Un marteau et un burin, pour prélever des échantillons de roches.

Une planche et un crayon spéciaux, pour prendre des notes.

Après la plongée, rince-toi à l'eau douce : tu éviteras les irritations. Emporte des antiseptiques pour les soigner.

DANS LES GRANDS FONDS

La plongée en scaphandre autonome devient impossible au-delà d'une certaine profondeur : la pression y est trop forte pour le corps humain. On utilise alors de petits sous-marins appelés bathyscaphes. Ils sont lancés d'un «vaisseau-mère», équipé d'appareils permettant de suivre tous leurs mouvements.

Ces sous-marins peuvent transporter de un à trois passagers. Ils fonctionnent grâce à une batterie et peuvent rester sous l'eau plusieurs jours de suite. L'intérieur est plein d'air comprimé pour que l'équipage puisse respirer normalement.

Ces véhicules sont munis de hublots, de caméras vidéo, de projecteurs et de «bras» télécommandés pour prélever des échantillons ou manipuler des outils.

Ce scaphandre baptisé JIM est un sous-marin monoplace. Il te permet de descendre jusqu'à 300 m de profondeur. Il contient une réserve d'air, et ses bras articulés se terminent par des pinces. Tu pourras ainsi accéder aux endroits trop étroits pour les autres sous-marins.

Les scientifiques utilisent ce type de sous-marins pour dresser des cartes des fonds océaniques et étudier la faune : les poissons attirés par des appâts sont filmés par les caméras vidéo.
Pour connaître les habitants des grands fonds, reporte-toi à la page 18.

e ROV est un sous-marin non habité, relié au vaisseau-
ère par un câble et équipé de bras télécommandés.
es caméras vidéo transmettent les images à la surface.
ans les ténèbres des grandes profondeurs, on doit
iliser des caméras à «basse intensité», sensibles aux
ibles éclairages.

un plongeur est atteint du
nal des caissons», il faut le
ettre immédiatement dans une
hambre de décompression : la
ession de l'air est augmentée
our dissoudre les bulles
azote dans le sang, puis
menée à la normale.
uand un plongeur travaille
e manière prolongée à une
ande profondeur, son
ganisme est «saturé» d'azote.
doit monter et descendre
haque jour dans une «cloche
e plongée» pressurisée, et
asser ses instants de repos
ans une chambre également
ressurisée. Son travail fini, il
ejournera dans une chambre
e décompression pour
équilibrer son niveau d'azote.

Cloche
de plongée

L'OCÉANOGRAPHIE

Les plongeurs contribuent à améliorer nos connaissances des océans et de leurs fonds, car ils étudient les formes de vie animale et végétale dans leur environnement naturel.

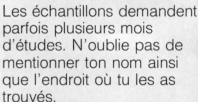

Une expédition océanographique se prépare parfois des années à l'avance. Il faut d'abord se fixer un but précis ; par exemple, découvrir pourquoi un récif corallien est endommagé, ou quels sont les effets de la pollution sur les fonds marins.

Il n'est pas nécessaire d'être un scientifique pour collaborer à ces recherches. Les plongeurs amateurs peuvent aider les océanographes en rapportant des échantillons et en notant leurs observations.

Les tablettes et les crayons étanches sont très pratiques pour prendre des notes, et les sacs en plastique servent à conserver les échantillons prélevés.

Les photos sous-marines sont très utiles aux chercheurs, qui les étudient en détail. La visibilité est parfois mauvaise : tu dois donc t'approcher le plus près possible du sujet à photographier et utiliser un objectif à grand angle.

Les échantillons demandent parfois plusieurs mois d'études. N'oublie pas de mentionner ton nom ainsi que l'endroit où tu les as trouvés.

s biologistes ont effectué des expériences
cinantes sur les récifs coralliens. Par
emple, en réunissant différentes espèces de
aux, ils ont découvert que certains étaient
s agressifs, et émettaient des substances
iques pour détruire les autres.
ur mener à bien ce genre d'expérience,
aut parfois plonger sur le même site
ndant des mois ou même des années.

Pour étudier les poissons, l'idéal est
de les observer dans leur cadre naturel
de vie. Mais ce n'est pas toujours facile,
car ils sont très craintifs.
Les poissons perçoivent les remous
provoqués par d'autres créatures grâce à
un système de canaux sensitifs, appelé la
«ligne latérale».

Ligne latérale

Les géologues explorent les sites choisis
pour la construction de tunnels ou la
recherche pétrolière, en prélevant des
échantillons qu'ils étudieront à la surface.

LA VIE SOUS-MARINE

Les espèces végétales et animales dans un milieu physique donné forment un écosystème. Les écosystèmes océaniques varient selon la profondeur et la température.

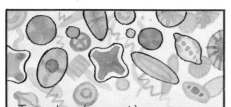

Tous les écosystèmes reposent sur une chaîne alimentaire. Dans l'océan, elle commence par le phytoplancton, des algues microscopiques vivant en suspension dans l'eau.

Ces algues servent de nourriture aux poissons et aux baleines. Mais la plupart des créatures marines se dévorent entre elles.

Au bout de cette chaîne, on trouve les animaux se nourrissant de détritus. Après digestion, ceux-ci sont évacués dans l'eau mer où ils sont recyclés.

FOND ROCHEUX

Si tu plonges dans un fond rocheux, tu y trouveras une faune variée. La roche présente une surface stable et solide pour les plantes, et les crevasses procurent de nombreux recoins aux animaux pour y vivre et se protéger de leurs ennemis.

FOND PLAT

C'est le plus fréquent. Ne le crois pas inhabité : de nombreuses créatures s'enfouissent sous la vase. Tu y rencontreras surtout des concombres de mer, des crabes et des vers.

PLEINE MER

La plupart des espèces animales flottent
ou nagent près de la surface, en pleine
mer, loin du rivage. Beaucoup de
poissons et de méduses ne s'aventurent
jamais vers le fond.

BANCS DE CORAUX

C'est un paradis pour le plongeur
car ils recèlent une faune
prodigieuse.
L'eau limpide permet de faire de
bonnes photos, et tu pourras
même parfois entendre les sons
émis par leurs habitants !

RÉGIONS POLAIRES

Si tu plongeais sous les glaces polaires,
tu y verrais toutes sortes de créatures.
Des millions de minuscules crustacés
appelés amphipodes vivent tête en bas
sous la glace. Ils servent de nourriture
aux poissons qui sont à leur tour mangés
par les phoques.

GRANDS FONDS

La lumière du soleil n'y pénètre
pas, et les animaux qui y vivent se
sont adaptés au milieu en
produisant eux-mêmes une source
lumineuse. Tu trouveras d'autres
détails sur ces créatures bizarres
page 18.

JARDINS SOUS LA MER

Dans les eaux peu profondes, les fonds sous-marins ressemblent à un jardin extraordinaire, composé d'algues et d'animaux ressemblant à des plantes, tels les coraux et les anémones.

Les coraux sont des colonies animales vivant dans les eaux chaudes et claires. On distingue le corail dur et le corail souple ; leurs formes sont très variées : certains ressemblent à des doigts, d'autres à des feuilles de choux ou à des éventails.

Le corail souple est formé de tissus vivants entourant une «tige» flexible.
Ces tissus abritent de minuscules anémones appelées polypes et reliées les unes aux autres par l'estomac. Grâce à leurs tentacules, elles attrapent la nourriture qu'elles partageront entre elles.

Les coraux durs sont souvent les plus grands. Ils utilisent le calcaire de l'eau pour bâtir une «paroi» autour des polypes.
À mesure que les polypes grandissent et que leur nombre augmente, la taille des coraux s'accroît : c'est ainsi que se forment les bancs ou récifs coralliens.

Les récifs coralliens sont la demeure des éponges et des anémones aux vives couleurs. Ils attirent également des bancs de poissons chatoyants.
Le pire ennemi des coraux est une étoile de mer appelée couronne d'épines qui dévore les polypes.

Couronne d'épines

es récifs coralliens bordent
ouvent des lagons peu
ofonds tapissés de zostère,
seule véritable plante à
eurs de l'océan.
es prairies sous-marines
nt le domaine des tortues
dans certaines régions,
un étrange mammifère au
aractère paisible, appelé
ugong ou «vache de mer».

Dugong

es forêts de varech du Pacifique oriental sont
es sites spectaculaires, où les algues atteignent
arfois 50 m de haut ! Elles sont célèbres pour
urs loutres marines, qui débarrassent les jeunes
ousses de varech des oursins prédateurs.

Loutre de mer

Les loutres plongent pour pêcher les oursins ; au
passage, elles ramassent une pierre au fond de
l'océan et remontent le tout à la surface. Flottant
sur le dos, elles brisent ensuite l'oursin posé sur
leur ventre à l'aide de la pierre, avant de le
déguster. Tu te réjouiras aussi du spectacle coloré
que présentent les éponges, les anémones
et les étoiles de mer.

ATTENTION, DANGER

Parmi ses millions d'habitants, la mer compte quelques créatures redoutables, parfois même mortelles pour l'homme.
Il en existe deux sortes principales dont il faut prendre garde. Celles qui mordent et celles qui piquent.

Les requins sont les plus grands poissons de l'océan. Certains se nourrissent de plancton, mais la plupart sont de féroces prédateurs. Tu devras surtout te méfier du requin-marteau (ci-dessous) et du grand requin blanc, qui peut atteindre 4,60 m de long.

En fait, il est rare que les requins attaquent les plongeurs. Mais tu prendras des risques en chassant, car le sang des poissons harponnés attire les requins affamés. Ne fais pas trop de remous en surface : ils pourraient te prendre pour une proie blessée.

Certains poissons peuvent te mordre cruellement si tu les déranges. Méfie-toi de la murène des mers chaudes. Elle peut mesurer jusqu'à 3 m, et ses dents acérées peuvent infliger de graves blessures.

Les serpents de mer se rencontrent partout dans le monde ; certains sont plus venimeux que n'importe quel serpent terrestre. Ils sont rarement agressifs, et ne t'attaqueront que si tu les effraies.

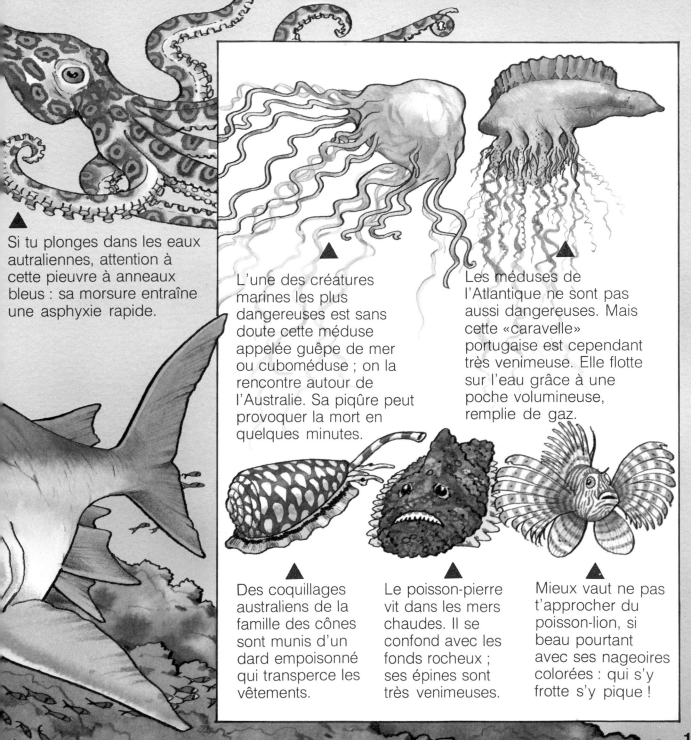

Si tu plonges dans les eaux autraliennes, attention à cette pieuvre à anneaux bleus : sa morsure entraîne une asphyxie rapide.

L'une des créatures marines les plus dangereuses est sans doute cette méduse appelée guêpe de mer ou cuboméduse ; on la rencontre autour de l'Australie. Sa piqûre peut provoquer la mort en quelques minutes.

Les méduses de l'Atlantique ne sont pas aussi dangereuses. Mais cette «caravelle» portugaise est cependant très venimeuse. Elle flotte sur l'eau grâce à une poche volumineuse, remplie de gaz.

Des coquillages australiens de la famille des cônes sont munis d'un dard empoisonné qui transperce les vêtements.

Le poisson-pierre vit dans les mers chaudes. Il se confond avec les fonds rocheux ; ses épines sont très venimeuses.

Mieux vaut ne pas t'approcher du poisson-lion, si beau pourtant avec ses nageoires colorées : qui s'y frotte s'y pique !

FAUNE ABYSSALE

La lumière du soleil ne pénètre plus sous l'eau au-delà de 600 m, mais les grandes profondeurs sont pourtant habitées par des espèces adaptées à l'obscurité. En plongeant en sous-marin ou en étudiant des spécimens ramassés au filet, les scientifiques ont fait avancer les connaissances que nous en avions.

Les poissons des grandes profondeurs se divisent en quatre groupes : les «grignoteurs», les «traqueurs», les «embusqués» et les «chasseurs». Les grignoteurs sont de petits poissons vivant entre l'ombre et la lumière. Leur ventre est souvent orné de taches lumineuses ; vus du dessous, ils se confondent avec les reflets de l'eau, trompant leurs ennemis.

Beaucoup de poissons des grands fonds possèdent leur propre source lumineuse ; c'est ce qu'on appelle la bioluminescence, une réaction chimique à la surface de la peau.

▲
Certains grignoteurs ont un aspect bizarre. La hache d'argent (ci-dessus), longue de 2 cm, est munie d'yeux protubérants tournés vers le haut. Elle repère ainsi les proies au-dessus d'elle.

▲
Les grignoteurs ont beaucoup d'ennemis. La technique des traqueurs consiste à tourner autour de leur proie en resserra le cercle. Ce poisson-dragon, q peut mesurer 70 cm, est équipé d'un barbillon terminé par un «appât» lumineux.

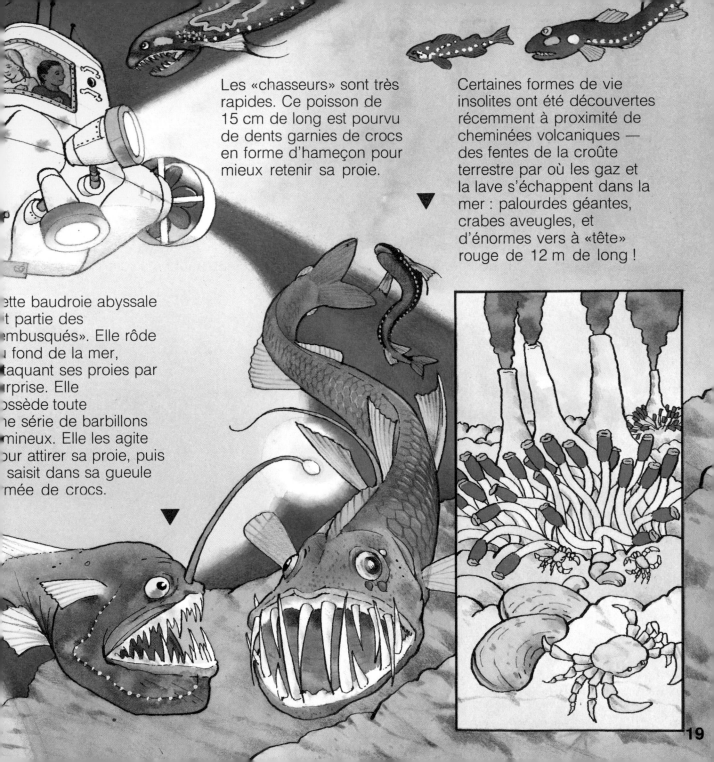

Les «chasseurs» sont très rapides. Ce poisson de 15 cm de long est pourvu de dents garnies de crocs en forme d'hameçon pour mieux retenir sa proie.

Certaines formes de vie insolites ont été découvertes récemment à proximité de cheminées volcaniques — des fentes de la croûte terrestre par où les gaz et la lave s'échappent dans la mer : palourdes géantes, crabes aveugles, et d'énormes vers à «tête» rouge de 12 m de long !

ette baudroie abyssale
t partie des
embusqués». Elle rôde
u fond de la mer,
taquant ses proies par
rprise. Elle
ossède toute
ne série de barbillons
mineux. Elle les agite
ur attirer sa proie, puis
saisit dans sa gueule
mée de crocs.

PLONGEURS ET CÉTACÉS

De tous les animaux des océans, les baleines, les dauphins et les marsouins sont les plus proches de l'homme. Comme nous, ce sont des mammifères à sang chaud. Les cétacés sont des créatures d'une grande intelligence. Pour un plongeur, c'est une rencontre passionnante.

On distingue deux sortes de baleines : à dents et à fanons. Les fanons sont des lames cornées qui retiennent les minuscules crustacés (le krill) en suspension dans l'eau. Les baleines à dents, comme le cachalot, se nourrissent de poissons et de calmars. Apprends à distinguer les dauphins des marsouins. Les marsouins ont le museau court et le corps trapu ; les dauphins sont plus grands, avec un museau allongé.

Dauphin

Baleine bleue

dauphins et les marsouins sont
nature très joueurs. Approcher
baleine est plus difficile ; c'est
animal nettement moins sociable,
s de brèves rencontres sont
fois possibles près de la surface.
plongée est pourtant le meilleur
yen d'étudier les baleines de
s, et de nombreuses expéditions
été organisées dans ce but.
st ainsi que des plongeurs
pu assister pour la
mière fois
a naissance
n cachalot
s l'océan
ien.

Marsouin

Les cétacés gardent
encore certains mystères qui
s'éclairciront peut-être plus tard.
Par exemple, les baleines peuvent
plonger à de grandes profondeurs
pour une longue durée, mais on
ignore comment leur corps résiste à
la pression de l'eau. Les baleines,
les dauphins et les marsouins
émettent toutes sortes de bruits :
ils communiquent entre eux par ce
moyen, mais nul n'a encore pu
déchiffrer leur langage. Ils se servent
aussi de ces bruits comme d'un radar
pour détecter les objets dans le noir :
les vibrations sonores qui se
répercutent leur indiquent l'obstacle.

Longtemps chassées pour en
extraire des produits qui servent
à l'industrie, certaines espèces de
baleines sont en voie de disparition.
Les écologistes se battent pour les
protéger avant qu'il ne soit trop tard.
Les plongeurs, en filmant et en
étudiant les cétacés, ont contribué à
faire connaître et aimer du public ces
géants de la mer.

LES FOUILLES

Les archéologues plongent pour explorer les épaves et les villes englouties. Comme sur terre, ces travaux de recherches s'appellent des «fouilles».
Les fouilles sous-marines peuvent demander plusieurs années, car le travail sous l'eau est difficile ; elles exigent une longue préparation.

On couvre parfois le champ de fouilles d'une grille métallique, à laquelle les plongeurs s'accrochent pour travailler. On a aussi recours à des détecteurs de métal et à des sondes.

Les épaves sont difficiles à retrouver car les bateaux se sont souvent brisés sur les rochers et sont dispersés en mille morceaux. Un bateau qui s'est échoué sur un fond sableux peut être enseveli sous la vase. Les archéologues effectuent d'abord leurs recherches dans les bibliothèques et les archives, pour essayer de localiser l'endroit du naufrage.

Pour repérer les épaves depuis la surface, les archéologues utilisent des magnétomètres, sensibles au magnétisme des objets métalliques. Ils se servent aussi de sonars, pour mesurer la réflexion des ondes sonores. Ils peuvent ainsi établir un relevé du fond sous-marin.

Pour dégager les objets enfouis sous le sable, on utilise une sorte de pompe, qui aspire la boue. Réglés à forte puissance, ces aspirateurs peuvent aussi déblayer un vaste terrain.

Chaque objet découvert lors d'une fouille peut fournir des renseignements précieux. Les pièces doivent être nettoyées une à une, puis dessinées et photographiées sous l'eau ; il faut aussi noter son emplacement exact. Les archéologues sauront ensuite en deviner l'usage : par exemple, un objet trouvé dans la cambuse était sûrement un ustensile ménager.

objets sont
enés à la surface
c de grandes
cautions, puis
aurés : le bois doit
e lavé à l'eau douce
r être débarrassé du
Puis on le trempe dans
produit chimique pour
pêcher sa décomposition.
and il s'agit de la coque
n navire, le travail de
tauration peut durer 20 ans.

Certains objets se conservent sous l'eau : ce coffret a appartenu au chirurgien du *Mary Rose,* coulé en 1545 au large de l'Angleterre. Il contenait des pommades, du poivre et des instruments médicaux.

LES INVENTIONS

Les premiers équipements de plongée moderne datent seulement des années 30. Mais la plongée se pratiquait dès la plus haute antiquité.

Les premiers plongeurs ramassaient des coquillages pour se nourrir, et des éponges et des perles qu'ils troquaient. Ils ne pouvaient rester longtemps sous l'eau ; pour descendre plus vite, ils s'attachaient à des pierres. Dans la Grèce antique, les plongeurs sabotaient les navires ennemis et récupéraient ainsi le butin dans les épaves.

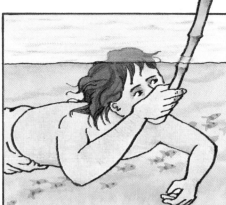

Au temps des Romains, les plongeurs utilisaient des tiges de bambou pour respirer sous l'eau. À partir de 1300, les inventeurs comme Léonard de Vinci imaginèrent des équipements plus perfectionnés. Mais la plupart étaient inutilisables dans la pratique.

Un projet de L. de Vinci

La «tortue»

La «tortue» en bois, construit par l'Américain David Bushn fonctionnait bel et bien : elle servit à repousser la flotte britannique en 1776.
Le *Nautilus* américain fut également un des premiers sous-marins. Il transportait tr passagers et était propulsé p une hélice se tournant à la main. En plongée, sa voile se refermait comme un paraplu

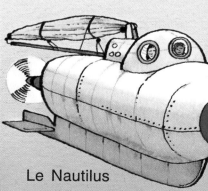

Le Nautilus

'invention des pompes
air permit celle des
remiers scaphandres. Ils
omportaient habituellement
n lourd casque muni d'un
ublot.
e plus perfectionné fut celui
e Siebe, ci-dessous : il était
empli d'air, ce qui rendait le
longeur si léger qu'il devait
orter des bottes plombées
t un énorme lest.

Les scaphandriers étaient
reliés par un tube à un
réservoir d'air en surface.
L'Américain W. H. James fut
le premier à concevoir
un scaphandre autonome.
La réserve d'air était contenue
dans une ceinture de métal.
C'est en expérimentant un
système similaire que Charles
Condert mourut en 1832 car
le tuyau d'air avait
crevé.

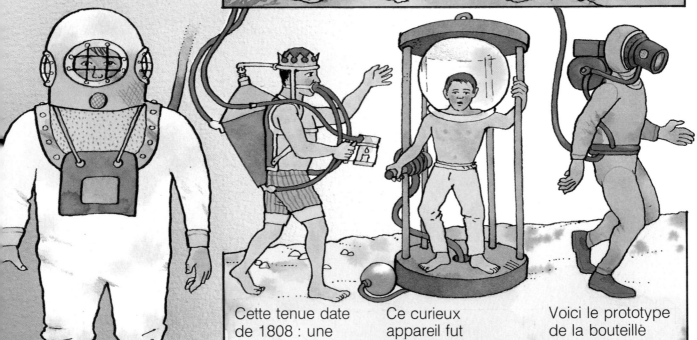

Cette tenue date
de 1808 : une
couronne est
reliée à des
soufflets, que l'on
actionne en
hochant la tête.

Ce curieux
appareil fut
imaginé en 1551.
On se tient sur un
support en bois
lesté, la tête sous
un globe.

Voici le prototype
de la bouteille
d'air comprimé,
conçu par les
Français
Rouquayrol et
Denayrouze.

25

MYTHES ET LÉGENDES

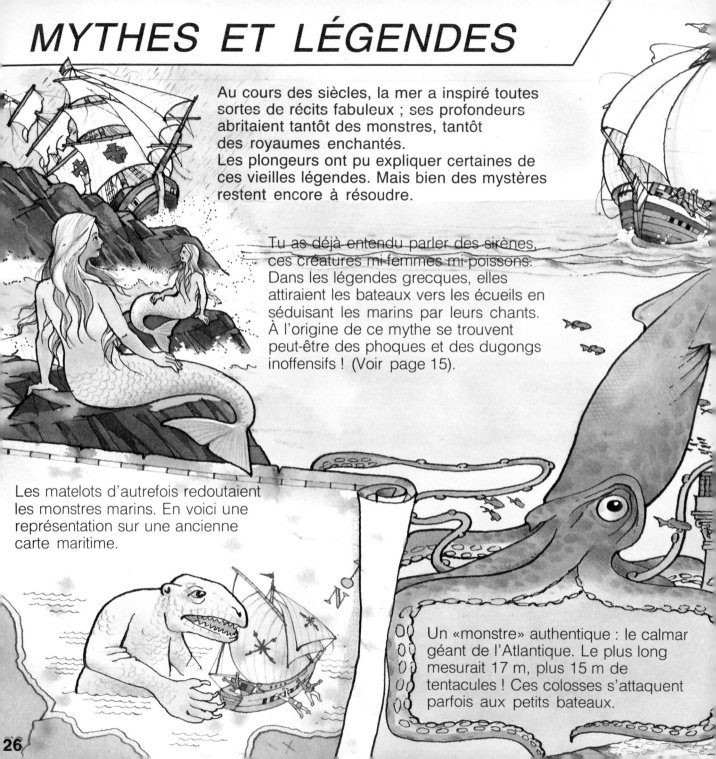

Au cours des siècles, la mer a inspiré toutes sortes de récits fabuleux ; ses profondeurs abritaient tantôt des monstres, tantôt des royaumes enchantés.
Les plongeurs ont pu expliquer certaines de ces vieilles légendes. Mais bien des mystères restent encore à résoudre.

Tu as déjà entendu parler des sirènes, ces créatures mi-femmes mi-poissons. Dans les légendes grecques, elles attiraient les bateaux vers les écueils en séduisant les marins par leurs chants. À l'origine de ce mythe se trouvent peut-être des phoques et des dugongs inoffensifs ! (Voir page 15).

Les matelots d'autrefois redoutaient les monstres marins. En voici une représentation sur une ancienne carte maritime.

Un «monstre» authentique : le calmar géant de l'Atlantique. Le plus long mesurait 17 m, plus 15 m de tentacules ! Ces colosses s'attaquent parfois aux petits bateaux.

...emplacement du *Titanic* est ...ngtemps resté un mystère. Cet ...mense paquebot sombra dans ...tlantique en 1912, après avoir heurté ... iceberg. On racontait qu'il renfermait ...e fortune en bijoux.
...épave qui excitait l'imagination de tant ...e plongeurs a finalement été retrouvée ... 1987 ; mais il ne restait pas grand-...ose de ses trésors.

Tu as sûrement lu des histoires de galions espagnols coulés avec leur chargement d'or. Leur recherche nécessite de longs préparatifs et un bon équipement si l'on veut mettre la main sur un trésor.
L'un d'eux est un coffret de dix millions de pièces d'or envoyées par le roi Charles Quint à des catholiques du Pérou ; le vaisseau qui les transportait fit naufrage avant d'arriver à destination.

Depuis deux mille ans, on parle d'une cité engloutie appelée l'Atlantide. Platon la mentionnait déjà dans ses écrits en faisant allusion à tout un continent qui aurait été submergé par un séisme. Nombreux sont ceux qui pensent aujourd'hui qu'il s'agissait d'une éruption volcanique en Méditerranée. D'autres la situent dans le nord de l'Atlantique.

ET DEMAIN...

Les progrès scientifiques permettront sans doute
des plongées plus faciles et plus sûres dans tous les océans.

On cherche aujourd'hui à fabriquer des tenues plus légères et plus confortables, et des réservoirs d'une plus grande capacité.

Les combinaisons pourraient être fabriquées dans des matériaux nouveaux, plus isolants et moins «flottables» : les plongeurs n'auraient alors plus besoin d'autant de lest (voir page 6). Ces combinaisons de l'avenir seront sans doute munies d'un système chauffant et de moyens de communication perfectionnés. De petits ordinateurs étanches remplaceront les tables de plongée, pour calculer les paliers de décompression (voir page 7).

Dans les années 60, le Français Jacques Cousteau construisit une sorte de maison sous-marine appelée Précontinent, pour savoir si l'homme pouvait vivre sous la mer.
À l'intérieur, l'air était maintenu à la même pression que l'eau. Mais l'expérience échoua.
Pour contourner ces difficultés, il faudrait bâtir des maisons à une faible profondeur, avec une pression similaire à la pression de l'air en surface. On pourrait y demeurer aussi longtemps qu'on le voudrait. Pour descendre dans les profondeurs, les plongeurs utiliseraient des véhicules à la même pression que leur maison.

s-tu qu'il existe des élevages sous-marins ?
st ce qu'on appelle la mariculture.
te science est appelée à se développer dans
proche avenir. On a déjà réussi à construire
récifs artificiels et à y cultiver des langoustes
d'autres crustacés. On pourrait créer de nouvelles
pèces de poissons, plus résistantes aux maladies.
villages sous-marins abriteraient
mariculteurs.

PARCS DU FUTUR

La plongée est devenue un sport
très populaire, ce qui a beaucoup nui
à la faune. Il y a quelques années,
les plongeurs ramenaient des crabes
et des langoustes et pêchaient
les poissons au fusil.
On a vu se créer récemment des
réserves sous-marines, sur le modèle
des réserves d'animaux africaines ; les
plongeurs sont seulement autorisés à
prendre des photos. Dans le parc Coral
Reef, en Floride, on peut même voir
des statues (à gauche) !
Ces parcs, tout en préservant la faune,
sont un champ d'observation idéal pour
les scientifiques. De plus, ils présentent
une réserve de jeunes animaux pour
repeupler certaines zones dévastées.

INDEX